Hermann Hesse, am 2. Juli 1877 in Calw/Württemberg als Sohn eines balten-
deutschen Missionars geboren, starb am 9. August 1962 in Montagnola bei
Lugano. Das Werk Hermann Hesses, ausgezeichnet mit dem Nobelpreis 1946,
erscheint im Suhrkamp Verlag.

Im Herbst 1922, wenige Monate nach Beendigung seiner indischen Legende
»Siddhartha«, hat Hermann Hesse ein Liebesmärchen geschrieben, das ganz
aus seinen dazu angefertigten Bildern entstanden ist. Er nannte es eine westöst-
liche Phantasie, die für den Wissenden eine ernsthafte Paraphrase auf das Geheimnis des Lebens, aber auch dem kindlichen Leser als ein heiteres Märchen
zugänglich sei. Unser Band reproduziert die Originalhandschrift, welche
Hesse der Mozart-Sängerin Ruth Wenger, für die das Märchen geschrieben
und die zwei Jahre darauf seine Frau wurde, geschenkt hat. Da vielen heutigen
Lesern die deutsche Handschrift des Manuskripts nicht mehr geläufig ist,
wurde der Wortlaut des Märchens anschließend im Druck wiederholt. Unsere
Druckfassung ist die von Hesse als letztgültig bestimmte. Sie weicht nur ge-
ringfügig vom Wortlaut der reproduzierten Handschrift ab. 22 eigens ausgewählte Hesse-Gedichte greifen verschiedene Aspekte des Piktor-Themas auf
und variieren es. In seinem Nachwort erzählt Volker Michels, der Herausgeber
der Briefe und nachgelassenen Schriften Hermann Hesses, die Entstehungsge-
schichte des Märchens, die zugleich auch wichtige Rückschlüsse zu seiner Deu-
tung ermöglicht.

»Man darf das Piktor-Märchen als eine Huldigung an Mozarts ›Zauberflöte‹
ansprechen. . . Die Metamorphose, die Piktor durchzumachen hat, ist ganz
und gar nicht ungefährlich. Es spielen dabei eigenwillige, seelen- und men-
schenbildende Kräfte mit, die reines dichterisches Schöpfungsgut sind. Das
beweist auch der Stil dieses zum Gleichnis verdichteten Liebesmärchens, seine
musikoffene Form, seine übermütige, in besonders glücklichen Momenten
sich in wirkliche Reimpaare überschlagende Sprache, und das beweisen die vielen kühnen, mythologischen Anspielungen. Wer weiß: vielleicht fällt es einmal
einem begabten Musiker ein, diesen Märchentext als Unterlage für eine Oper
zu verwenden. Er ginge ohne die geringste Veränderung – diese wäre auch un-
erlaubt – wundervoll in Musik und Bühnenbild ein.«   *Otto Basler*

insel taschenbuch 122
Hermann Hesse
Piktors Verwandlungen

Hermann Hesse
Piktors Verwandlungen

Ein Liebesmärchen, vom
Autor handgeschrieben und illustriert,
mit ausgewählten Gedichten
und einem Nachwort versehen
von Volker Michels
Insel Verlag

insel taschenbuch 122
Erste Auflage 1975
Lizenzausgabe für den Insel Verlag, Frankfurt am Main, Piktors
Verwandlungen Copyright 1954, by Suhrkamp Verlag, Frankfurt
am Main. Für die Gedichte: Copyright 1953 by Suhrkamp Verlag,
Frankfurt am Main. Illustrationen und Nachwort © Suhrkamp
Verlag, Frankfurt am Main 1975. Alle Rechte vorbehalten. Insel
Verlag, Frankfurt am Main. Vertrieb durch den Suhrkamp
Taschenbuch Verlag. Umschlag nach Entwürfen von Willy Fleck-
haus. Satz: LibroSatz, Kriftel. Druck: Nomos Verlagsgesellschaft
Baden-Baden. Printed in Germany

10 11 12 13 14   92 91 90 89

Inhalt

Faksimile

Piktor's
Verwandlungen

o

Ein Märchen
von
Herman Hesse

Für Ruth
Ostern
1923.

Kaum hatte Piktor das Paradies betreten, so
stand er vor einem Baume, der war zugleich Mann
und Frau.

Piktor grüßte den Baum mit Ehrfurcht und fragte:
»Bist du der Baum des Lebens?«

Als aber statt des Baumes die Schlange ihm Antwort
geben wollte, wandte er sich ab und ging weiter. Es
war ganz Auge, alles gefiel ihm so sehr. Deutlich fühlte
er, daß er im Heimatort und am Quell des Lebens sei.

Und wieder sah er einen Baum, der war zugleich
Sonne und Mond.

Sprach Piktor: »Bist du der Baum des Lebens?«
Die Sonne nickte und lachte, der Mond nickte und lächelte.

Die wunderbarsten Blumen blickten ihn an,
mit vielerlei Farben und Lichtern, mit vielerlei Augen und Gesichtern. Einige nickten und lächelten, einige
nickten und lachten, andere nickten nicht und lächelten
nicht, sie schwiegen trunken, in sich selbst versunken, im
eigenen Dufte wie ertrunken.

Eine war den Blumen sang das Lila-Lied, eine
sang das dunkelblaue Schlummerlied. Eine von den Blumen
hatte große blaue Augen, eine andere Blume glich

seinen roten Lieder. Sie reden süßten nach dem
Garten der Kindheit, von der Stimme der Mutter
klang ihr süßer süßt. Sie von den Blumen lachte
ihn an und streckte ihm seine gebogenen roten
Zweige lang entgegen. Er hatte davon, sie schwand,
die starke und weite, noch Wald und Heim, und auch
noch den Kuß einer Frau.

Zwischen all den Blumen stand Viktor voll
Sehnsucht und banger Freude. Sein Herz, als ob es
eine Glocke wäre, schlug schwer, schlug sehr, es bereiste
sich wiederkehrt, es gemüteschaft Herzens schalig
ihm brannte.

Einen Vogel sah Viktor sitzen sah ihn im Garten
sitzen und vor Farben blitzen, alle Farben schien
das Vogel zu besitzen, den Vogel, der vor Farben
blitzenden, der bunt im grünen Reden sitzen,
den fragte er: "O Vogel, wo ist denn das Glück?"

"Das Glück?" sprach der schöne Vogel und lachte,
und öffnete seine schönen goldenen Schnabel. "Das
Glück, o Freund, ist überall, in Berg und Tal, in
Blume und Kristall."

Mit diesen Worten schüttelte der frohe Vogel seine

... freute sich mit dem Hals, neigte sich mit dem Schwanz, zwinkerte mit dem Auge, lachte noch einmal, dann blieb er unbeweglich sitzen, saß still im Gras und sah: der Vogel war jetzt zu einer bunten Blume geworden, die Federn Blätter, die Krallen Wurzeln. Im Reigentanze, mitten im Tanze, ward er zur Pflanze. Verwundert sah es Piktor.

Und gleich darauf bewegte die frohe bunte Vogelblume ihre Blätter und Blütenblätter, hatte das Blumentum schon wieder satt, hatte keine Wurzeln mehr, rührte sich leicht, schwebte langsam empor, und war ein glänzender Schmetterling geworden, der wiegte sich schwerelos, ohne Gewicht, ganz Licht, ganz leuchtendes Gesicht. Piktor machte große Augen.

Der neue Falter aber, der frohe bunte Vogelblumenschmetterling, das lichte Frohengesicht flog im Kreise um den erstaunten Piktor, glitzerte in der Sonne, ließ sich sanft wie eine Schneeflocke zur Erde nieder, blieb dicht vor Piktors Füßen sitzen, atmete sanft zitternd, ein wenig mit den glänzenden Flügeln, und war alsbald in einen farbigen Kristall verwandelt, aus dessen Kanten ein rotes Licht strahlte. Wundervoll leuchtete aus dem grünen Gras und Gekräute, hell

seine Fußspitzen, seine rote Forelleⁿ. Aber seine Heimat,
soll wieder der Erde, ihm ihr zu weichen, schnell wieder ver
...en u und drohte zu versinken.

Der Greif Piktor, war übermächtigen Verlangungen getrieben, nach dem schwindenden Strahm und rief ihn vor sich.
Wild Entzücken blickte ver in sein verzücktes Licht, Schimmer
des Seligkeit schwebte in seinem Herzen, erschienen ver
dem Thier in seinem Herd fehlt. doch er sehte ver nicht, spürte
ver dunkel, mit Ahnung gefunkel, welchen Zauber der
Thier umfloß.

Plötzlich ver Ost eines verspestorben Brahmes einge-
wickelt sich der Schlanger und zischte ihn ins Ohr: „der Thier
verwandelt sich, in ward du willst. Schnell sprach ihn deinen
Wunsch, eh ver zu spät ist."

Piktor entschrak und fürchtete sein Glück zu versäumen,
ver, schnell verwandelte ver sich in einem Brahm, drei
ein Brahm zu sein hatte ver schon oft sich gewünscht, weil
die Brahme ihm so voll Ruhe, Kraft und Würde zu sein
schienen.
       Piktor wurde ein Brahm. Er wuchs mit Wur-
zeln in die Erde ein, ver streckte sich in die Höhe, Blätter
brachen und Zweige aus seinen Gliedern. Er war damit
sehr zufrieden. Er sog mit durstigen Sthurzelfasern tief in
der kühlen Erde, und wogte mit seinen Blättern hoch im
Bräunen. Käfer wohnten in seiner Rinde, zu seinen Füß-
en wohnten Hase und Igel, in seiner Krone die Vögel.

Der braune Pförtner war glücklich und zählte die Jahre
nicht, welche vergingen. Sehr viele Jahre vergingen, ehe
er merkte, daß sein Glück nicht vollkommen sei. Langsam
begann er es zu fühlen.

Es ……, daß ……… im Paradiese die
meisten Dinge sich häufig verwandelten, ja daß alles in
einem fortwährenden …… Verwandlung floß. Es sah
Bäume …… , welche plötzlich zu Blumen oder zu Vögeln
……, und sah Blumen nach sich ……, welche …… un-
aufhörlich …… : der eine ward zum Quell ……,
der andere zum Krokodil ……, der andere schwebte
hoch und süß, voll Lustempfindung, mit …… Tönen als Fisch
vor ihnen, in neuen Formen neue …… zu be…….
…… Bäume mit …… mit Früchten, ……… ihre
…… mit Blumen.

Er selbst aber, der braune Pförtner, blieb immer der selbe, er
konnte sich nicht mehr verwandeln. Seit er dies …… ……
…… hatte, schwand sein Glück dahin, er fing an zu altern und
…… immer müder zu werden, …… …… und schwermütig
……… , …… …… …… alten Bäumen ……
…… …… Auch die Vögel, die Pferde, …… und
allen …… …… …… es zu fühlen: Wenn sie nicht die Gabe
…… Verwandlung besitzen, …… sie mit der Zeit in Trüb-
…… und ……, und ihre …… geht verloren.

Das Mädchen hörte in den Blättern des Piktorbaumes ein Rauschen, es blickte zu ihm empor und empfand, mit plötzlich rätselhaftem Weh im Herzen, neue Gedanken, neues Verlangen, neue Träume sich im Innern regen. Von der unbekannten Kraft gezogen, setzte sie sich unter den Baum. Einsam schien er ihr, einsam und traurig, und dabei schön, rührend und edel in seiner stummen Traurigkeit – hold klang ihr das Lied seiner leise rauschenden Blätter. Sie lehnte sich an den rauhen Stamm, fühlte den Baum tief erschauern, fühlte den selben Schauer im eigenen Herzen. Seltsam weh tat ihr das Herz, über den Himmel ihrer Seele liefen Wolken hin, aus ihren Augen fielen langsam die schweren Tränen. Was war doch das? Warum mußte man so leiden? Warum begehrte das Herz die Brust zu sprengen und hinüber zu schmelzen, zu Ihm, in Ihn, den schönen Einsamen?

Der Baum zitterte leise bis in die Wurzeln, so heftig zog er alle Lebenskraft in sich zusammen, dem Mädchen entgegen, in dem glühenden Wunsch nach Vereinigung. Ach daß er, von der Schlange überlistet, sich für immer allein in einen Baum fest gebannt hatte! O wie blind, o wie töricht war er gewesen! Hatte er denn gar nichts gewußt, nichts geahnt, war er dem Geheimnis des Lebens so fremd gewesen? Nein – wohl hatte er es fühlend geahnt – ach, und mit Trauer und tiefem Verstehen dachte er jetzt des Baumes, den

aus Mein und Dein bestand.

Ein Vogel kam geflogen, ein Vogel rot und grün, ein
Vogel schön und hehr kam gezogen, ein Bogen kam er über-
spannt. Vorüber flog er, langsam flog er vorüber, kreuzend brachte er sein
Vorüberfliegen en. Das Mädchen sah ihr fliegen, sah auch seinem Schwei-
fen sich wieder verlieren, das Leuchten rot mein Glück, rot mein
Glück, es sind ins grünen Koriat und leuchten im grünen Koriat
so tief verworren, seine roten Leuchten fern so breit, daß das
Mädchen sich wieder bückte und das Rote aufhob, er war es
ein Kristall, war ein Karfunkelstein, und nur da ist Kern
es nicht drückte seine.

Kaum fühlt das Mädchen den Zauberstein in seinem
weißen Hand, der ging alsbald den Wunsch in Erfüllung, von
dem sein Herz so voll war. Sie wünschte unbewußt, sie wollte
sehen und wünschen sich mit dem Baume, weil als ein
starker junger Ast aus seinem Stein, wuchs schnell zu
ihm empor.

Nun war alles gut, sie wollt war in Ordnung,
nun recht war das Verwirbte gefunden. Der Baum fühlte
war kein altes, bekümmertes Baume mehr, nun fang
er laut Viktoria, Viktoria.

Er war verwunderlt. Und weil er dieselbe
die richtige, die neuige Verwunderlung verwirkt hatte, brach-
er sich vor Stund um weiter verwunderlen, so wird er eine
wollten. Das innere zu sein es brach zu tun, das wurde er
alsbald, stündig floß das Zauberstrom durch sein Blut, ständig
hatte er teil um das vollständige aufstehenden Schöpfung.

er neuen Tag, der neuen Fisch, der neuen
Mensch und Schlange, Vogel und Wolken.
In jeder Gestalt erkannt er die Grenze,
wovon die Form, hatte Mond und Sonne,
Mann und Weib in sich, floß als Zwillings-
fluß durch die Länder, stand als

Doppelstern am Himmel.

∘∘

Piktors Verwandlungen

Kaum hatte Piktor das Paradies betreten, so stand er vor einem Baume, der war zugleich Mann und Frau. Piktor grüßte den Baum mit Ehrfurcht und fragte: »Bist du der Baum des Lebens?« Als aber statt des Baumes die Schlange ihm Antwort geben wollte, wandte er sich ab und ging weiter. Er war ganz Auge, alles gefiel ihm so sehr. Deutlich spürte er, daß er in der Heimat und am Quell des Lebens sei.

Und wieder sah er einen Baum, der war zugleich Sonne und Mond.

Sprach Piktor: »Bist du der Baum des Lebens?«

Die Sonne nickte und lachte, der Mond nickte und lächelte. Die wunderbarsten Blumen blickten ihn an, mit vielerlei Farben und Lichtern, mit vielerlei Augen und Gesichtern. Einige nickten und lachten, einige nickten und lächelten, andere nickten nicht und lächelten nicht: sie schwiegen trunken, in sich selbst versunken, im eigenen Dufte wie ertrunken. Eine sang das Lila-Lied, eine sang das dunkelblaue Schlummerlied. Eine von den Blumen hatte große blaue Augen, eine andre erinnerte ihn an seine erste Liebe. Eine roch nach dem Garten der Kindheit, wie die Stimme der Mutter klang ihr süßer Duft. Eine andere lachte ihn an und streckte ihm eine gebogene rote Zunge lang entgegen. Er leckte daran, es schmeckte stark und wild, nach Harz und Honig, und auch nach dem Kuß einer Frau.

Zwischen all den Blumen stand Piktor voll Sehnsucht und banger Freude. Sein Herz, als ob es eine Glocke wär, schlug schwer, schlug sehr; es brannte ins Unbekannte, ins zauberhaft Geahnte sehnlich sein Begehr.

Einen Vogel sah Piktor sitzen, sah ihn im Grase sitzen und von Farben blitzen, alle Farben schien der schöne Vogel zu besitzen. Den schönen bunten Vogel fragte er: »O Vogel, wo ist denn das Glück?«

»Das Glück?« sprach der schöne Vogel und lachte mit seinem goldenen Schnabel, »das Glück, o Freund, ist überall, in Berg und Tal, in Blume und Kristall.«

Mit diesen Worten schüttelte der frohe Vogel sein Gefieder, ruckte mit dem Hals, wippte mit dem Schwanz, zwinkerte mit dem Auge, lachte noch einmal, dann blieb er regungslos sitzen, saß still im Gras, und siehe: der Vogel war jetzt zu einer bunten Blume geworden, die Federn Blätter, die Krallen Wurzeln. Im Farbenglanze, mitten im Tanze, ward er zur Pflanze. Verwundert sah es Piktor.

Und gleich darauf bewegte die Vogelblume ihre Blätter und Staubfäden, hatte das Blumentum schon wieder satt, hatte keine Wurzeln mehr, rührte sich leicht, schwebte langsam empor, und war ein glänzender Schmetterling geworden, der wiegte sich schwebend, ohne Gewicht, ganz Licht, ganz leuchtendes Gesicht. Piktor machte große Augen.

Der neue Falter aber, der frohe bunte Vogelblumenschmetterling, das lichte Farbengesicht flog im Kreise um den erstaunten Piktor, glitzerte in der Sonne, ließ sich sanft wie eine Flocke zur Erde nieder, blieb dicht vor Piktors Füßen sitzen, atmete zart, zitterte ein wenig mit den glänzenden Flügeln, und war alsbald in einen farbigen Kristall verwandelt, aus dessen Kanten ein rotes Licht strahlte. Wunderbar leuchtete aus dem grünen Gras und Gekräute, hell wie Festgeläute, der rote Edelstein. Aber seine Heimat, das Innere der Erde, schien ihn zu rufen; schnell ward er kleiner und drohte zu versinken. Da griff Piktor, von übermächtigem Verlangen getrieben, nach dem schwindenden Steine und nahm ihn an sich. Mit Entzücken blickte er in sein magisches Licht, das ihm Ahnung aller Seligkeit ins Herz zu strahlen schien.

Plötzlich am Ast eines abgestorbenen Baumes ringelte sich die Schlange und zischte ihm ins Ohr: »Der Stein verwandelt dich, in was du willst. Schnell sage ihm deinen Wunsch, eh es zu spät ist!«

Piktor erschrak und fürchtete, sein Glück zu versäumen. Rasch sagte er das Wort und verwandelte sich in einen Baum. Denn ein Baum zu sein, hatte er schon manchmal gewünscht, weil die Bäume ihm so voll Ruhe, Kraft und Würde zu sein schienen.

Piktor wurde ein Baum. Er wuchs mit Wurzeln in die Erde ein, er reckte sich in die Höhe, Blätter trieben und Zweige aus seinen Gliedern. Er war damit sehr zufrieden. Er sog mit durstigen Fasern tief in der kühlen Erde, und wehte mit seinen Blättern hoch im Blauen. Käfer wohnten in seiner Rinde, zu seinen Füßen wohnten Hase und Igel, in seinen Zweigen die Vögel.

Der Baum Piktor war glücklich und zählte die Jahre nicht, welche vergingen. Sehr viele Jahre gingen hin, ehe er merkte, daß sein Glück nicht vollkommen sei. Langsam nur lernte er mit den Baum-Augen sehen. Endlich war er sehend, und wurde traurig.

Er sah nämlich, daß rings um ihn her im Paradiese die meisten

Wesen sich sehr häufig verwandelten, ja daß alles in einem Zauberstrome ewiger Verwandlung floß. Er sah Blumen zu Edelsteinen werden, oder als blitzende Schwirrvögel dahinfliegen. Er sah neben sich manchen Baum plötzlich verschwinden: der eine war zur Quelle zerronnen, der andre zum Krokodil geworden, ein andrer schwamm froh und kühl, voll Lustgefühl, mit muntern Sinnen als Fisch von hinnen, in neuen Formen neue Spiele zu beginnen. Elefanten tauschten ihr Kleid mit Felsen, Giraffen ihre Gestalt mit Blumen.

Er selbst aber, der Baum Piktor, blieb immer derselbe, er konnte sich nicht mehr verwandeln. Seit er dies erkannt hatte, schwand sein Glück dahin; er fing an zu altern und nahm immer mehr jene müde, ernste und bekümmerte Haltung an, die man bei vielen alten Bäumen beobachten kann. Auch bei Pferden, bei Vögeln, bei Menschen und allen Wesen kann man es ja täglich sehen: Wenn sie nicht die Gabe der Verwandlung besitzen, verfallen sie mit der Zeit in Traurigkeit und Verkümmerung, und ihre Schönheit geht verloren.

Eines Tages nun verlief sich ein junges Mädchen in jene Gegend des Paradieses, im blonden Haar, im blauen Kleid. Singend und tanzend lief die Blonde unter den Bäumen hin, und hatte bisher noch nie daran gedacht, sich die Gabe der Verwandlung zu wünschen.

Mancher kluge Affe lächelte hinter ihr her, mancher Strauch streifte sie zärtlich mit einer Ranke, mancher Baum warf ihr eine Blüte, eine Nuß, einen Apfel nach, ohne daß sie darauf achtete.

Als der Baum Piktor das Mädchen erblickte, ergriff ihn eine

große Sehnsucht, ein Verlangen nach Glück, wie er es noch nie gefühlt hatte. Und zugleich nahm ein tiefes Nachsinnen ihn gefangen, denn ihm war, als riefe sein eigenes Blut ihm zu: »Besinne dich! Erinnere dich in dieser Stunde deines ganzen Lebens, finde den Sinn, sonst ist es zu spät, und es kann nie mehr ein Glück zu dir kommen.« Und er gehorchte. Er entsann sich all seiner Herkunft, seiner Menschenjahre, seines Zuges nach dem Paradiese, und ganz besonders jenes Augenblicks, ehe er ein Baum geworden war, jenes wunderbaren Augenblicks, da er den Zauberstein in Händen gehalten hatte. Damals, da jede Verwandlung ihm offen stand, hatte das Leben in ihm geglüht wie niemals! Er gedachte des Vogels, welcher damals gelacht hatte, und des Baumes mit der Sonne und dem Monde; es ergriff ihn die Ahnung, daß er damals etwas versäumt, etwas vergessen habe und daß der Rat der Schlange nicht gut gewesen sei.

Das Mädchen hörte in den Blättern des Baumes Piktor ein Rauschen, es blickte zu ihm empor und empfand, mit plötzlichem Weh im Herzen, neue Gedanken, neues Verlangen, neue Träume sich im Innern regen. Von der unbekannten Kraft gezogen, setzte sie sich unter den Baum. Einsam schien er ihr zu sein, einsam und traurig, und dabei schön, rührend und edel in seiner stummen Traurigkeit; betörend klang ihr das Lied seiner leise rauschenden Krone. Sie lehnte sich an den rauhen Stamm, fühlte den Baum tief erschauern, fühlte denselben Schauer im eigenen Herzen. Seltsam weh tat ihr das Herz, über den Himmel ihrer Seele liefen Wolken hin, langsam sanken aus ihren Augen die schweren Tränen. Was war doch dies? Warum mußte man so leiden? Warum begehrte das Herz die Brust zu sprengen und hinüber zu schmelzen zu Ihm, in Ihn, den schönen Einsamen?

Der Baum zitterte leise bis in die Wurzeln, so heftig zog er alle Lebenskraft in sich zusammen, dem Mädchen entgegen, in dem glühenden Wunsch nach Vereinigung. Ach, daß er von der Schlange überlistet, sich für immer allein in einen Baum fest gebannt hatte! O wie blind, o wie töricht war er gewesen! Hatte er denn so gar nichts gewußt, war er dem Geheimnis des Lebens so fremd gewesen? Nein, wohl hatte er es damals dunkel gefühlt und geahnt – ach, und mit Trauer und tiefem Verstehen dachte er jetzt des Baumes, der aus Mann und Weib bestand!

Ein Vogel kam geflogen, ein Vogel rot und grün, ein Vogel schön und kühn kam geflogen, im Bogen kam er gezogen. Das Mädchen sah ihn fliegen, sah aus seinem Schnabel etwas niederfallen, das leuchtete rot wie Blut, rot wie Glut, es fiel ins grüne Kraut und leuchtete im grünen Kraut so tief vertraut, sein rotes Leuchten warb so laut, daß das Mädchen sich niederbückte und das Rote aufhob. Da war es ein Kristall, war ein Karfunkelstein, und wo der ist, kann es nicht dunkel sein.

Kaum hielt das Mädchen den Zauberstein in seiner weißen Hand, da ging alsbald der Wunsch in Erfüllung, von dem sein Herz so voll war. Die Schöne wurde entrückt, sie sank dahin und wurde eins mit dem Baume, trieb als ein starker junger Ast aus seinem Stamm, wuchs rasch zu ihm empor.

Nun war alles gut, die Welt war in Ordnung, nun erst war das

Paradies gefunden. Piktor war kein alter bekümmerter Baum mehr, jetzt sang er laut Piktoria, Viktoria.

Er war verwandelt. Und weil er dieses Mal die richtige, die ewige Verwandlung erreicht hatte, weil er aus einem Halben ein Ganzes geworden war, konnte er sich von Stund an weiter verwandeln, so viel er wollte. Ständig floß der Zauberstrom des Werdens durch sein Blut, ewig hatte er Teil an der all-stündlich erstehenden Schöpfung.

Er wurde Reh, er wurde Fisch, er wurde Mensch und Schlange, Wolke und Vogel. In jeder Gestalt aber war er ganz, war ein Paar, hatte Mond und Sonne, hatte Mann und Weib in sich, floß als Zwillingsfluß durch die Länder, stand als Doppelstern am Himmel. (1922)

Ausgewählte Gedichte

Manchmal

Manchmal wenn ein Vogel ruft
Oder ein Wind geht in den Zweigen
Oder ein Hund bellt im fernsten Gehöft.
Dann muß ich lange lauschen und schweigen.

Meine Seele flieht zurück
Bis wo vor tausend vergessenen Jahren
Der Vogel und der wehende Wind
Mir ähnlich und meine Brüder waren.

Meine Seele wird ein Baum
Und ein Tier und ein Wolkenweben.
Verwandelt und fremd kehrt sie zurück
Und fragt mich ... Wie soll ich Antwort geben?

Magie der Farben

Gottes Atem hin und wider,
Himmel oben, Himmel unten,
Licht singt tausendfache Lieder,
Gott wird Welt im farbig Bunten.

Weiß zu Schwarz und Warm zum Kühlen
Fühlt sich immer neu gezogen,
Ewig aus chaotischem Wühlen
Klärt sich neu der Regenbogen.

So durch unsre Seele wandelt
Tausendfalt in Qual und Wonne
Gottes Licht, erschafft und handelt,
Und wir preisen ihn als Sonne.

Keine Rast

Seele, banger Vogel du,
Immer wieder mußt du fragen:
Wann nach so viel wilden Tagen
Kommt der Friede, kommt die Ruh?

O ich weiß: kaum haben wir
Unterm Boden stille Tage,
Wird vor neuer Sehnsucht dir
Jeder liebe Tag zur Plage.

Und du wirst, geborgen kaum,
Dich um neue Leiden mühen
Und voll Ungeduld den Raum
Als der jüngste Stern durchglühen.

Blauer Schmetterling

Flügelt ein kleiner blauer
Falter vom Wind geweht,
Ein perlmutterner Schauer,
Glitzert, flimmert, vergeht.

So mit Augenblicksblinken,
So im Vorüberwehn
Sah ich das Glück mir winken,
Glitzern, flimmern, vergehn.

Liebeslied

Ich wollt', ich wär eine Blume,
Du kämest still gegangen,
Nähmst mich zum Eigentume
In deine Hand gefangen.

Auch wär ich gern ein roter Wein
Und flösse süß durch deinen Mund
Und ganz und gar in dich hinein
Und machte dich und mich gesund.

Neues Erleben

Wieder seh ich Schleier sinken,
Und Vertrautestes wird fremd,
Neue Sternenräume winken,
Seele schreitet traumgehemmt.

Abermals in neuen Kreisen
Ordnet sich um mich die Welt
Und ich seh mich eiteln Weisen
Als ein Kind hineingestellt.

Doch aus früheren Geburten
Zuckt entfernte Ahnung her:
Sterne sanken, Sterne wurden,
Und der Raum war niemals leer.

Seele beugt sich und erhebt sich,
Atmet in Unendlichkeit,
Aus zerrißnen Fäden webt sich
Neu und schöner Gottes Kleid.

Bekenntnis

Holder Schein, an deine Spiele
Sieh mich willig hingegeben;
Andre haben Zwecke, Ziele,
Mir genügt es schon, zu leben.

Gleichnis will mir alles scheinen,
Was mir je die Sinne rührte,
Des Unendlichen und Einen,
Das ich stets lebendig spürte.

Solche Bilderschrift zu lesen,
Wird mir stets das Leben lohnen,
Denn das Ewige, das Wesen,
Weiß ich in mir selber wohnen.

Malerfreude

Äcker tragen Korn und kosten Geld,
Wiesen sind von Stacheldraht umlauert,
Notdurft sind und Habsucht aufgestellt,
Alles scheint verdorben und vermauert.

Aber hier in meinem Auge wohnt
Eine andre Ordnung aller Dinge,
Violett zerfließt und Purpur thront,
Deren unschuldvolles Lied ich singe.

Gelb zu Gelb, und Gelb zu Rot gesellt,
Kühle Bläuen rosig angeflogen!
Licht und Farbe schwingt von Welt zu Welt.
Wölbt und tönt sich aus in Liebeswogen.

Geist regiert, der alles Kranke heilt,
Grün klingt auf aus neugeborener Quelle,
Neu und sinnvoll wird die Welt verteilt,
Und im Herzen wird es froh und helle.

Gestutzte Eiche

Wie haben sie dich, Baum, verschnitten,
Wie stehst du fremd und sonderbar!
Wie hast du hundertmal gelitten,
Bis nichts in dir als Trotz und Wille war!
Ich bin wie du, mit dem verschnittnen,
Gequälten Leben brech ich nicht
Und tauche täglich aus durchlittnen
Roheiten neu die Stirn ins Licht.
Was in mir weich und zart gewesen,
Hat mir die Welt zu Tod gehöhnt,
Doch unzerstörbar ist mein Wesen,
Ich bin zufrieden, bin versöhnt,
Geduldig neue Blätter treib ich
Aus Ästen hundertmal zerspellt,
Und allem Weh zu Trotze bleib ich
Verliebt in die verrückte Welt.

Spruch

So mußt du allen Dingen
Bruder und Schwester sein,
Daß sie dich ganz durchdringen,
Daß du nicht scheidest Mein und Dein.

Kein Stern, kein Laub soll fallen –
Du mußt mit ihm vergehn!
So wirst du auch mit allen
Allstündlich auferstehn.

Alle Tode

Alle Tode bin ich schon gestorben,
Alle Tode will ich wieder sterben,
Sterben den hölzernen Tod im Baum,
Sterben den steinernen Tod im Berg,
Irdenen Tod im Sand,
Blätternen Tod im knisternden Sommergras
Und den armen, blutigen Menschentod.

Blume will ich wieder geboren werden,
Baum und Gras will ich wieder geboren werden,
Fisch und Hirsch, Vogel und Schmetterling.
Und aus jeder Gestalt
Wird mich Sehnsucht reißen die Stufen
Zu den letzten Leiden,
Zu den Leiden des Menschen hinan.

O zitternd gespannter Bogen,
Wenn der Sehnsucht rasende Faust
Beide Pole des Lebens

Zueinander zu biegen verlangt!
Oft noch und oftmals wieder
Wirst du mich jagen von Tod zu Geburt
Der Gestaltungen schmerzvolle Bahn,
Der Gestaltungen herrliche Bahn.

Media in vita

Einmal, Herz, wirst du ruhn,
Einmal den letzten Tod gestorben sein,
Zur Stille gehst du ein,
Den traumlos tiefen Schlaf zu tun.
Oft winkt er dir aus goldnem Dunkel her,
Oft sehnst du ihn heran,
Den fernen Hafen, wenn dein Kahn
Von Sturm zu Sturm gehetzt treibt auf dem Meer.
Noch aber wiegt dein Blut
Auf roter Welle dich durch Tat und Traum.
Noch brennst du, Herz, in Lebensdrang und Glut.
Hoch aus dem Weltenbaum
Lockt Frucht und Schlange dich mit süßem Zwang
Zu Wunsch und Hunger, Schuld und Lust,
Spielt hundertstimmiger Gesang
Sein holdes Regenbogenspiel durch deine Brust.
Dich ladet Liebesspiel,
Urwald der Lust, zum Krampf der Wonne ein,

Dort trunkner Gast, dort Tier und Gott zu sein,
Erregt, erschlafft, hinzuckend ohne Ziel.
Dich zieht die Kunst, die stille Zauberin,
In ihren Kreis mit seliger Magie,
Malt Farbenschleier über Tod und Jammer hin,
Macht Qual zu Lust, Chaos zu Harmonie.
Geist lockt zu höchstem Spiel empor,
Den Sternen gegenüber stellt
Er dich, macht dich zum Mittelpunkt der Welt
Und ordnet rund um dich das All im Chor;
Vom Tier und Urschlamm bis zu dir herauf
Weist er der Herkunft ahnenreiche Spur,
Macht dich zum Ziel und Endpunkt der Natur,
Dann tut er dunkle Tore auf,
Er deutet Götter, deutet Geist und Trieb,
Zeigt, wie aus ihm sich Sinnenwelt entfaltet,
Wie das Unendliche sich immer neu gestaltet,
Und macht die Welt, die er zu Spiel zerschäumt,
Dir erst von neuem lieb,
Da du es bist, der sie und Gott und All erträumt.
Auch nach den düstern Gängen hin,
Wo Blut und Trieb das Schaurige vollziehn,
Auch dahin offen steht der Pfad,
Wo Rausch aus Angst, wo Mord aus Liebe blüht,
Verbrechen dampft und Wahnsinn glüht,
Kein Grenzstein scheidet zwischen Traum und Tat.
All diese vielen Wege magst du gehn,
All diese Spiele magst du spielen noch,

Und jedem folgt, so wirst du sehn,
Ein neuer Weg, verführerischer noch.
Wie hübsch ist Gut und Geld!
Wie hübsch ist: Gut und Geld verachten!
Wie schön: entsagend wegsehn von der Welt!
Wie schön: nach ihren Reizen brünstig trachten!
Zum Gott hinauf, zum Tier zurück,
Und überall zuckt flüchtig auf ein Glück.
Geh hier, geh dort, sei Mensch, sei Tier, sei Baum!
Unendlich ist der Welt vielfarbiger Traum,
Unendlich steht dir offen Tor um Tor,
Aus jedem braust des Lebens voller Chor,
Aus jedem lockt, aus jedem ruft
Ein flüchtig Glück, ein flüchtig holder Duft.
Entsagung, Tugend übe, wenn dich Angst erfaßt!
Steig auf den höchsten Turm, wirf dich herab!
Doch wisse: überall bist du nur Gast,
Gast bei der Lust, beim Leid, Gast auch im Grab –
Es speit dich neu, noch eh du ausgeruht,
Hinaus in der Geburten ewige Flut.

Doch von den tausend Wegen einer ist,
Zu finden schwer, zu ahnen leicht,
Der aller Welten Kreis mit einem Schritt ermißt,
Der nicht mehr täuscht, der letztes Ziel erreicht.
Erkenntnis blüht auf diesem Pfade dir:
Dein innerstes Ich, das nie ein Tod zerstört,
Gehört nur dir,

Gehört der Welt nicht, die auf Namen hört.
Irrweg war deine lange Pilgerschaft,
Irrweg in namenlosen Irrtums Haft,
Und immer war der Wunderpfad dir nah,
Wie konntest du so lang verblendet gehn,
Wie konnte solcher Zauber dir geschehn,
Daß diesen Pfad dein Auge niemals sah?!
Nun endet Zaubers Macht,
Du bist erwacht,
Hörst fern die Chöre brausen
Im Tal des Irrens und der Sinnen,
Und ruhig wendest du vom Außen
Dich weg und zu dir selbst, nach innen.

Dann wirst du ruhn,
Wirst letzten Tod gestorben sein,
Zur Stille gehst du ein,
Den traumlos tiefen Schlaf zu tun.

Weg nach innen

Wer den Weg nach innen fand,
Wer in glühndem Sichversenken
Je der Weisheit Kern geahnt,
Daß sein Sinn sich Gott und Welt
Nur als Bild und Gleichnis wähle:
Ihm wird jedes Tun und Denken
Zwiegespräch mit seiner eignen Seele,
Welche Welt und Gott enthält.

Glück

Solang du nach dem Glücke jagst,
Bist du nicht reif zum Glücklichsein,
Und wäre alles Liebste dein.

Solang du um Verlornes klagst
Und Ziele hast und rastlos bist,
Weißt du noch nicht, was Friede ist.

Erst wenn du jedem Wunsch entsagst,
Nicht Ziel mehr noch Begehren kennst,
Das Glück nicht mehr mit Namen nennst,

Dann reicht dir des Geschehens Flut
Nicht mehr ans Herz, und deine Seele ruht.

Der Geliebten

Wieder fällt ein Blatt von meinem Baum,
Wieder welkt von meinen Blumen eine,
Wunderlich in ungewissem Scheine
Grüßt mich meines Lebens wirrer Traum.

Dunkel blickt die Leere rings mich an,
Aber in der Wölbung Mitte lacht
Ein Gestirn voll Trost durch alle Nacht,
Nah und näher zieht es seine Bahn.

Guter Stern, der meine Nacht versüßt,
Den mein Schicksal nah und näher zieht,
Fühlst du, wie mein Herz mit stummem Lied
Dir entgegenharrt und dich begrüßt?

Sieh, noch ist voll Einsamkeit mein Blick,
Langsam nur darf ich zu dir erwachen,
Darf ich wieder weinen, wieder lachen
Und vertrauen dir und dem Geschick.

Wollust

Nichts als strömen, nichts als brennen,
Blindlings in das Feuer rennen,
Hingerissen, hingegeben
Der unendlichen Flamme: Leben!

Plötzlich aber, bang durchzittert,
Sehnt aus dem unendlichen Glück
Angstvoll sich das Herz zurück,
Das den Tod im Lieben wittert . . .

Voll Blüten

Voll Blüten steht der Pfirsichbaum,
Nicht jede wird zur Frucht,
Sie schimmern hell wie Rosenschaum
Durch Blau und Wolkenflucht.

Wie Blüten gehn Gedanken auf,
Hundert an jedem Tag –
Laß blühen! laß dem Ding den Lauf!
Frag nicht nach dem Ertrag!

Es muß auch Spiel und Unschuld sein
Und Blütenüberfluß,
Sonst wär' die Welt uns viel zu klein
Und Leben kein Genuß.

Sprache

Die Sonne spricht zu uns mit Licht,
Mit Duft und Farbe spricht die Blume,
Mit Wolken, Schnee und Regen spricht
Die Luft. Es lebt im Heiligtume
Der Welt ein unstillbarer Drang,
Der Dinge Stummheit zu durchbrechen,
In Wort, Gebärde, Farbe, Klang
Des Seins Geheimnis auszusprechen.
Hier strömt der Künste lichter Quell,
Es ringt nach Wort, nach Offenbarung,
Nach Geist die Welt und kündet hell
Aus Menschenlippen ewige Erfahrung.
Nach Sprache sehnt sich alles Leben,
In Wort und Zahl, in Farbe, Linie, Ton
Beschwört sich unser dumpfes Streben
Und baut des Sinnes immer höhern Thron.
In einer Blume Rot und Blau,
In eines Dichters Worte wendet
Nach innen sich der Schöpfung Bau,
Der stets beginnt und niemals endet.
Und wo sich Wort und Ton gesellt,
Wo Lied erklingt, Kunst sich entfaltet,
Wird jedesmal der Sinn der Welt,
Des ganzen Daseins neu gestaltet,
Und jedes Lied und jedes Buch
Und jedes Bild ist ein Enthüllen,

Ein neuer, tausendster Versuch,
Des Lebens Einheit zu erfüllen.
In diese Einheit einzugehn
Lockt euch die Dichtung, die Musik,
Der Schöpfung Vielfalt zu verstehn
Genügt ein einziger Spiegelblick.
Was uns Verworrenes begegnet,
Wird klar und einfach im Gedicht:
Die Blume lacht, die Wolke regnet,
Die Welt hat Sinn, das Stumme spricht.

Blätter wehen vom Baume

Blätter wehen vom Baume,
Lieder vom Lebenstraume
Wehen spielend dahin;
Vieles ist untergegangen,
Seit wir zuerst sie sangen,
Zärtliche Melodien.

Sterblich sind auch die Lieder,
Keines tönt ewig wieder,
Alle verweht der Wind:
Blumen und Schmetterlinge,
Die unvergänglicher Dinge
Flüchtiges Gleichnis sind.

Besinnung

Göttlich ist und ewig der Geist.
Ihm entgegen, dessen wir Bild und Werkzeug sind,
Führt unser Weg; unsre innerste Sehnsucht ist:
Werden wie Er, leuchten in Seinem Licht!

Aber irden und sterblich sind wir geschaffen,
Träge lastet auf uns Kreaturen die Schwere.
Hold zwar und mütterlich warm umhegt uns Natur,
Säugt uns Erde, bettet uns Wiege und Grab;
Doch befriedet Natur uns nicht,
Ihren Mutterzauber durchstößt
Des unsterblichen Geistes Funke
Väterlich, macht zum Manne das Kind,
Löscht die Unschuld und weckt uns zu Kampf und Gewissen.

So zwischen Mutter und Vater,
So zwischen Leib und Geist
Zögert der Schöpfung gebrechlichstes Kind,
Zitternde Seele Mensch, des Leidens fähig
Wie kein andres Wesen, und fähig des Höchsten:
Gläubiger, hoffender Liebe.
Schwer ist sein Weg, Sünde und Tod seine Speise,
Oft verirrt er ins Finstre, oft wär' ihm
Besser, niemals erschaffen zu sein.
Ewig aber strahlt über ihm seine Sehnsucht,
Seine Bestimmung: das Licht, der Geist.

Und wir fühlen: ihn, den Gefährdeten,
Liebt der Ewige mit besonderer Liebe.

Darum ist uns irrenden Brüdern
Liebe möglich noch in der Entzweiung,
Und nicht Richten und Haß,
Sondern geduldige Liebe,
Liebendes Dulden führt
Uns dem heiligen Ziele näher.

Stufen

Wie jede Blüte welkt und jede Jugend
Dem Alter weicht, blüht jede Lebensstufe,
Blüht jede Weisheit auch und jede Tugend
Zu ihrer Zeit und darf nicht ewig dauern.
Es muß das Herz bei jedem Lebensrufe
Bereit zum Abschied sein und Neubeginne,
Um sich in Tapferkeit und ohne Trauern
In andre, neue Bindungen zu geben.
Und jedem Anfang wohnt ein Zauber inne,
Der uns beschützt und der uns hilft, zu leben.

Wir sollen heiter Raum um Raum durchschreiten,
An keinem wie an einer Heimat hängen,
Der Weltgeist will nicht fesseln uns und engen,
Er will uns Stuf' um Stufe heben, weiten.
Kaum sind wir heimisch einem Lebenskreise
Und traulich eingewohnt, so droht Erschlaffen;
Nur wer bereit zu Aufbruch ist und Reise,
Mag lähmender Gewöhnung sich entraffen.

Es wird vielleicht auch noch die Todesstunde
Uns neuen Räumen jung entgegen senden,
Des Lebens Ruf an uns wird niemals enden . . .
Wohlan denn, Herz, nimm Abschied und gesunde!

In Sand geschrieben

Daß das Schöne und Berückende
Nur ein Hauch und Schauer sei,
Daß das Köstliche, Entzückende,
Holde ohne Dauer sei:
Wolke, Blume, Seifenblase,
Feuerwerk und Kinderlachen,
Frauenblick im Spiegelglase
Und viel andre wunderbare Sachen,
Daß sie, kaum entdeckt, vergehen,
Nur von Augenblickes Dauer,

Nur ein Duft und Windeswehen,
Ach, wir wissen es mit Trauer.
Und das Dauerhafte, Starre
Ist uns nicht so innig teuer:
Edelstein mit kühlem Feuer,
Glänzendschwere Goldesbarre;
Selbst die Sterne, nicht zu zählen,
Bleiben fern und fremd, sie gleichen
Uns Vergänglichen nicht, erreichen
Nicht das Innerste der Seelen.
Nein, es scheint das innigst Schöne,
Liebenswerte dem Verderben
Zugeneigt, stets nah am Sterben,
Und das Köstlichste: die Töne
Der Musik, die im Entstehen
Schon enteilen, schon vergehen,
Sind nur Wehen, Strömen, Jagen
Und umweht von leiser Trauer,
Denn auch nicht auf Herzschlags Dauer
Lassen sie sich halten, bannen;
Ton um Ton, kaum angeschlagen,
Schwindet schon und rinnt von dannen.

So ist unser Herz dem Flüchtigen,
Ist dem Fließenden, dem Leben
Treu und brüderlich ergeben,
Nicht dem Festen, Dauertüchtigen.
Bald ermüdet uns das Bleibende,

Fels und Sternwelt und Juwelen,
Uns in ewigem Wandel treibende
Wind- und Seifenblasenseelen,
Zeitvermählte, Dauerlose,
Denen Tau am Blatt der Rose,
Denen eines Vogels Werben,
Eines Wolkenspieles Sterben,
Schneegeflimmer, Regenbogen,
Falter, schon hinweggeflogen,
Denen eines Lachens Läuten,
Das uns im Vorübergehen
Kaum gestreift, ein Fest bedeuten
Oder wehtun kann. Wir lieben,
Was uns gleich ist, und verstehen,
Was der Wind in Sand geschrieben.

Späte Prüfung

Nochmals aus des Lebens Weiten
Reißt mich Schicksal hart ins Enge,
Will in Dunkel und Gedränge
Prüfung mir und Not bereiten.

Alles scheinbar längst Erreichte,
Ruhe, Weisheit, Altersfrieden,
Reuelose Lebensbeichte –
War es wirklich mir beschieden?

Ach, es ward von jenem Glücke
Aus den Händen mir geschlagen
Gut um Gut und Stück um Stücke;
Aus ist's mit den heitern Tagen.

Scherbenberg und Trümmerstätte
Ward die Welt und ward mein Leben.
Weinend möcht ich mich ergeben,
Wenn ich diesen Trotz nicht hätte,

Diesen Trotz im Grund der Seele,
Mich zu stemmen, mich zu wehren,
Diesen Glauben: was mich quäle,
Müsse sich ins Helle kehren,

Diesen unvernünftig zähen
Kinderglauben mancher Dichter
An unlöschbar ewige Lichter,
Die hoch über allen Höllen stehen.

Nachts im April notiert

O daß es Farben gibt:
Blau, Gelb, Weiß, Rot und Grün!

O daß es Töne gibt:
Sopran, Baß, Horn, Oboe!

O daß es Sprache gibt:
Vokabeln, Verse, Reime,
Zärtlichkeiten des Anklangs,
Marsch und Tänze der Syntax!

Wer ihre Spiele spielte,
Wer ihre Zauber schmeckte,
Ihm blüht die Welt,
Ihm lacht sie und weist ihm
Ihr Herz, ihren Sinn.

Was du liebtest und erstrebtest,
Was du träumtest und erlebtest,
Ist dir noch gewiß,
Ob es Wonne oder Leid war?
Gis und As, Es oder Dis –
Sind dem Ohr sie unterscheidbar?

Nachwort

»Im Walde bin ich Piktor begegnet, wie er sich gerade in ein Eich-
horn verwandelte. Als Fuchs lief ich ihm nach, erwischte ihn am
Genick und fraß ihn auf.«   *Hermann Hesse (im Oktober 1922)*

»Ich möchte einen Ausdruck finden für die Zweiheit, ich
möchte Kapitel und Sätze schreiben, wo beständig Melodie
und Gegenmelodie gleichzeitig sichtbar wären, wo jeder
Buntheit die Einheit, jedem Scherz der Ernst beständig zur
Seite steht. Denn einzig darin besteht für mich das Leben, im
Fluktuieren zwischen zwei Polen, im Hin und Her zwischen
den beiden Grundpfeilern der Welt. Beständig möchte ich
mit Entzücken auf die selige Buntheit der Welt hinweisen und
ebenso beständig daran erinnern, daß dieser Buntheit eine
Einheit zugrundeliegt«, schrieb Hesse 1923 in seiner »Psy-
chologia Balnearia«, den Glossen eines Badener *Kurgasts.*
Doch schon ein Jahr zuvor, im September 1922, wenige Monate nach Beendigung seines *Siddhartha,* war es ihm gelun-
gen, diese Erkenntnis auf ungewöhnliche Weise zu gestalten.
Damals entstand *Piktors Verwandlungen,* ein in Bild und Wort
erzähltes Märchen von der Zweipoligkeit der Einheit.

»Ein Liebesmärchen« nannte Hesse diese Fabel, die wie alle
richtigen Märchen nichts Erfundenes, sondern Erlebtes ver-
sinnbildlicht:

Im Paradies seiner Naivität und Unerfahrenheit wird Piktor
von einem scheinbaren Widerspruch überrascht, von der Bipolarität alles Lebendigen, Gestalt geworden in zwei Bäumen, von denen der eine zugleich Mann und Frau, der andre
zugleich Sonne und Mond ist. Bezeichnenderweise ist es

nicht der Baum mit dem Menschenpaar – bei dem sich die
Schlange einmischen will – sondern der mit den Gestirnen,
der ihm Antwort gibt auf seine ahnungsvolle Frage: »Bist du
der Baum des Lebens?« Noch aber greifen die sinnlichen
Wahrnehmungen Piktors ineinander; so sind die Lieder der
Blumen Farben, ihr Duft ist ein Klang, ihr Geschmack weckt
Erinnerung und zugleich sehnsüchtige Ahnung von Zukünf-
tigem. Im selben Augenblick, als diese Ahnung sich zu regen
beginnt, sieht Piktor einen Vogel, dessen Gefieder in allen
Farben schillert.

»Gott wird Welt im farbig Bunten«, schrieb Hesse schon
1919 in seinem Gedicht über die »Magie der Farben«, deren
glücklicher Einklang in *Piktors Verwandlungen* auch musikali-
schen Ausdruck findet, sobald der Erzähler entscheidende
Episoden plötzlich in Reimform hervorhebt. Diese Binnenreime sind eine Tradition des Orients, dessen Erzählkultur
besonderen Wert auf den Vortrag gelegt hat, wobei der Er-
zählende die suggestive Wirkung der Lautwiederholung immer dann einzusetzen verstand, wenn er der Aufmerksamkeit
des Zuhörers sicher sein wollte. Hesse, den diese Tradition
seit jeher faszinierte, bediente sich hier gleichfalls solcher
Binnenreime und hat daher oft betont: »Das Märchen vom
Piktor sollte laut vorgelesen werden, so ist es gedacht.«
Auch Parallelen zum Vogelsymbol finden sich im Orient, wie
etwa in Tuti Nameh's indischem *Papageienbuch,* das uns in einer mehr als fünfhundert Jahre alten persischen Nachbildung
überliefert wurde. Dort überraschen zum Beispiel schon in
der Einführung die Reime: »In zahllosen Weisen – will ich den

Herrn preisen . . . [und Mohamed], den redenden Vogel, von dem bewußt – daß er nicht sprach nach eigner Lust – die singende Nachtigall, deren Mund – nur lautere Offenbarung machte kund, – der auf geraden Pfaden aus dem Irrsal der Welt – den, der sich hält – an des Gesetzes Seile – hinführt zum Heile.«

So ist es nicht von ungefähr gerade ein Vogel, der die zweite Frage Piktors auslöst, nämlich die, wo er das Glück zu suchen habe, wie denn auch die muntere Antwort des Vogels nur die bisherigen Wahrnehmungen Piktors von der untrennbaren Einheit der Gegensätze bekräftigt: »Das Glück, o Freund, ist überall, in Berg und Tal, in Blume und Kristall.«

Kaum, daß Piktor die Antwort des farbenfrohen Boten hört, sieht er sie bereits verwirklicht. Schwerelos gelingt es dem Vogel – weil ihm jede Stufe seiner organischen, wie auch der anorganischen Evolution verfügbar geblieben ist –, sich in Schmetterling, in Blume und in Kristall zu verwandeln. Denn Erkenntnis ist für den, der sie wahrhaft besitzt, nichts Verbales. Sie ist verbindlich und muß deshalb auch gelebt werden. »Piktor machte große Augen«, heißt es im Märchen. Doch kann er den Augenblick, als der Kristall sich ihm völlig zu entziehen droht und im Begriff ist, ins Unsichtbare, ins anorganisch Unstrukturierte der Erde, zurückzukehren, nicht ertragen. »Von übermächtigem Verlangen getrieben«, greift er nach dem schwindenden Stein, und wirklich glückt es Piktor (= Maler), dem Künstler, das Vergängliche festzuhalten, gerade noch, bevor das sich unentwegt Verwandelnde seine nächste Metamorphose vollzogen hat.

Zwar ist Piktor zu diesem Zeitpunkt noch nicht reif und bereit, das Vorbild des wandlungsfähigen Vogelblumenschmetterlings zu verstehen und es ihm gleichzutun, doch weckt das Rot des Kristalls bereits erregende Ahnungen in ihm. Den Stein in der Hand, fühlt er sich lebendig wie noch nie. Das ist die Chance der Schlange. Vom Ast ihres abgestorbenen Baumes aus rät sie ihm, möglichst rasch, ehe es zu spät ist (ehe auch Piktor die Möglichkeit zu dauernder Verwandlung erlangt hat), sich doch des Naheliegendsten, der Zauberkraft des magischen Steines zu bedienen, sie kurzerhand von außen zu übernehmen und damit die Freiheit zu dauernder Verwandlung, das Glück, die Spannung des Lebens im eigenen antagonistischen Kraftfeld einzutauschen gegen eine einmalige Verzauberung. Und Piktor erliegt der Versuchung der Schlange. Erschrocken und verwirrt, glaubt er, sich mit Hilfe des Steines in etwas Vollkommeneres verwandeln zu können als er ist, und wünscht sich, ein Baum zu werden, »weil Bäume so voll Ruhe, Kraft und Würde zu sein schienen«. Noch versteht er es nicht, »den Bäumen zuzuhören«, wie Hesse es in seinem 1920 vorangegangenen Buch, der »Wanderung«, erkannt hatte: »Wer gelernt hat, Bäumen zuzuhören, begehrt nicht mehr, ein Baum zu sein. Er begehrt nichts zu sein als was er ist. Das ist Heimat. Das ist Glück.«
Piktor wird ein Baum und fühlt sich zufrieden dabei. Tief sind seine Wurzeln verankert, entsprechend hoch ragt seine Krone in den Himmel. Er bringt es zu bekömmlicher Stattlichkeit und ist ein nützliches Glied seiner Biosphäre: »Käfer wohnen in seiner Rinde und in seiner Krone die Vögel«.

Jahre müssen vergehen, bis Piktor wahrzunehmen beginnt, daß alle Wesen im Paradies sich verwandeln, während er selbst sich nicht mehr vom Fleck gerührt hat. Und vom Augenblick an, als er erkennt, daß er es ihnen nicht gleichtun kann, daß ihm jede Entwicklungs- und Wandlungsmöglichkeit verlorengegangen ist, beginnt er zu altern.

Eines Tages jedoch wird er aus seiner Stagnation geweckt. Ein Mädchen hat sich in seine Nähe verirrt. Ihr Anblick erzeugt ein Kraftfeld, wie ihm Piktor, seit er den Rat der Schlange befolgt hat, nie mehr ausgesetzt war. Schlagartig wird ihm bewußt, daß seine Behaglichkeit der letzten Jahre unzulänglich und eine Illusion gewesen war. Er hatte sich nicht von der Stelle gerührt, war immer für sich selbst geblieben und hatte deshalb nie wieder ein solches Leben in sich gespürt wie damals, als ihm, mit dem Stein in der Hand, noch jede Wandlung offenstand. Nun plötzlich kann er sich wieder erinnern, an seine Herkunft (die ja auch die Bipolarität zur Voraussetzung hatte), an seine Entwicklung und an den verlockend bunten Vogel, der sich so oft verwandelt und dabei gelacht hatte, an den sonderbaren Baum mit Sonne und Mond, die genickt hatten auf seine Frage, ob sie der Baum des Lebens wären.

Das tanzende Mädchen zu Piktors Füßen ist so sehr in Einklang mit ihrer eigenen Natur, daß die Schlange bei ihr keine Chance hat. Denn singend und unbeschwert wie sie ist, kommt sie gar nicht erst auf den Gedanken, sich die Gabe der Verwandlung zu wünschen, obwohl ihr diese natürlich, ohne daß sie davon weiß, offensteht. Daher auch ist sie empfänglich für das Rauschen des Piktor-Baumes, als er seine ganze Lebenskraft in sich zusammenzieht und auf sie konzentriert. Das Magnetfeld der Sehnsucht Piktors nach Rückvereinigung wird so stark, daß sich das Mädchen, »von einer unbekannten Kraft gezogen«, unter den Baum setzt und immer intensiver, je näher sie ihm kommt, in dieses Kraftfeld einbezogen wird. »Warum begehrte die Brust zu sprengen?«, heißt es im Märchen, »und hinüberzuschmelzen zu ihm, in ihn, den Einsamen?«

Wie damals, als Piktor inmitten der Blumen an Vergangenes erinnert wurde und sehnsüchtig Geahntes sich vorbereiten fühlte, erscheint auch jetzt wieder ein Vogel. In kühnem Bogen fliegt er an den beiden vorbei, lacht und läßt etwas Rotes aus seinem Schnabel fallen. »Der Gesang« dieser Farbe klingt und leuchtet so vertraut und unüberhörbar, daß sich das Mädchen danach bücken muß und einen Kristall wahrnimmt, der demjenigen zum Verwechseln gleicht, mit dessen Hilfe Piktor ein Baum geworden war. Kaum aber, daß sie den Stein in Händen hält, geht ihr Wunsch auch schon in Erfüllung. Als starker Ast wächst sie aus der Seite des Baumes, so daß dieser sich zu gabeln beginnt und selber zum »Baum des Lebens« wird mit zwei in einen gemeinsamen Stamm mündenden Trieben.

»Nun erst war das Paradies gefunden«, heißt es im Märchen. Piktor war wieder offen für neue Metamorphosen und »konnte sich weiterverwandeln, so viel er nur wollte. Was immer er zu sein begehrte, das wurde er alsbald, ständig floß der Zauberstrom des Werdens durch sein Blut, ewig hatte er

Teil an der allstündlich erstehenden Schöpfung. Er wurde Reh, er wurde Fisch, er wurde Mensch und Schlange, Wolke und Vogel. In jeder Gestalt aber war er ganz, war ein Paar, hatte Mond und Sonne, hatte Mann und Weib in sich, floß als Zwillingsfluß durch die Länder, stand als Doppelstern am Himmel«.

Über dreißig Jahre lang hat Hesse dieses Märchen weder in eines seiner Bücher aufgenommen, noch es sonst durch eine Publikation in Zeitungen oder Zeitschriften einer größeren Öffentlichkeit bekannt gemacht. Die Idee aber von der Zusammengehörigkeit und Gleichwertigkeit antagonistischer Prinzipien ist spätestens seit dem *Demian* in allen seinen Publikationen und Büchern virulent. Ob er sie nun als Spannungsfeld zwischen Erscheinungsformen wie männlich und weiblich, hell und dunkel, positiv und negativ, gut und böse, aktiv und passiv, rational und irrational, extrovertiert und introvertiert darstellt, oder ob er sie als Dialektik zwischen Denken und Handeln, zwischen Analyse und Synthese, Intellekt und Sinnlichkeit, Psyche und Körper, Revolution und Evolution, Utopie und Tradition gestaltet, immer wieder wendet sich Hesse gegen die dem Abendland der Weltkriege, der alleinseligmachenden Religionen und Ideologien eigentümliche Tendenz, das sich Bedingende in unvereinbare Gegensätze zu trennen und sich durch Errichtung von Feindbildern Ventile für Aggressionen zu schaffen. In immer neuen Variationen bringen fast alle seine nach 1915 entstandenen Schriften eine der ältesten Erkenntnisse der Menschheit in Erinnerung, die chinesische Philosophie des Yin und Yang, die bereits 2500 Jahre überdauert hat und in Deutschland nur in einer historisch relativ kurzen Phase von der christlichen Mystik als »coincidentia oppositorum« aufgegriffen wurde. Noch in Hesses Alterswerk, dem *Glasperlenspiel*, wird auf die gleichwertige Behandlung der Antagonismen besonderer Wert gelegt. Denn dieses Kraftfeld ist es, in welchem die zum Leben erforderliche Spannung entsteht und die Energie zu Veränderung und Verwandlung erzeugt wird: »Beliebt war«, heißt es im *Glasperlenspiel*, »das Nebeneinanderstellen, Gegeneinanderführen und endliche harmonische Zusammenführen zweier feindlicher Ideen, wie Gesetz und Freiheit, Individuum und Gemeinschaft, und man legte Wert darauf, in einem solchen Spiel Themata und Thesen vollkommen gleichwertig und parteilos durchzuführen, aus These und Antithese möglichst rein die Synthese zu entwickeln . . . Unsere Bestimmung ist es, die Gegensätze richtig zu erkennen, erstens nämlich als Gegensätze, dann aber als Pole einer Einheit.«

Hesse, als ein Dichter, vermittelt diese Inhalte nicht unverbindlich als Theorie, sondern auf dem ungleich komplexeren und lebendigeren Weg über das Bild. Der erdrückenden Übermacht der sogenannten Wirklichkeit mit ihren Proklamationen, Koalitionen, Annexionen und Kapitulationen, ihrer Geld-, Ideologie- und Kriegsmaschinerie setzt er die scheinbar so harmlosen »Seifenblasen« des Künstlers entgegen: das »Märchen« einer gefährdeten, doch konzessionslos eigenständigen Biographie, die Herausforderung, die ein Leben darstellt, von dem sich sagen läßt: »Ich gestehe, daß es mir sehr häufig wie im Märchen vorkommt, oft sehe und fühle ich die Außenwelt mit meinem Inneren in einem Zusammenhang und Einklang, den ich magisch nennen muß.« *(Kurzgefaßter Lebenslauf)*.

Diese Vereinbarkeit von Innen und Außen, diese Synthese, die Hesse mitunter auch als »weiße Magie« bezeichnet, hat er als Künstler dem beamteten Theoretiker voraus. Sie ist es, die dem Gedanken eine Überzeugungskraft und Breitenwirkung verschafft, die um so intensiver und dauerhafter ist, je authentischer das dahinterstehende Erlebnis war.

Die Entsprechungen zum Piktor-Märchen in Hesses Biographie sind augenfällig: Mit dem ersten Weltkrieg hatte es begonnen. »Der gute Friede, mit dem ich in der Welt gelebt hatte«, schrieb Hesse rückblickend 1925, »war ebenso faul gewesen, wie der äußere Friede in der Welt«. Der Krieg hatte bei ihm einen Prozeß in Bewegung gebracht, aus dem er neu und – auch literarisch – für die meisten bis zur Unerkennbarkeit verändert hervorging. Denn wer vermutete schon in den beißenden zeitkritischen Satiren, die – »um die Jugend nicht durch den bekannten Namen eines alten Onkels abzuschrekken« – seit 1917 unter dem Decknamen Emil Sinclair in den Zeitungen und Zeitschriften zu erscheinen begannen, ihren wirklichen Verfasser? Als dann zwei Jahre darauf die politische Flugschrift *Zarathustras Wiederkehr* von Hand zu Hand ging und in der *Neuen Rundschau* der *Demian* vorabgedruckt wurde, löste dieser völlig unbekannte Name nicht nur in der jungen Generation, sondern selbst bei so scharfsichtigen Kollegen wie Alfred Döblin eine Überraschung aus, wie sie uns auch ein Brief Thomas Manns an seinen Verleger überliefert: »Sagen Sie mir bitte, wer ist Emil Sinclair? Wie alt ist er? Wo lebt er? Sein *Demian* hat mir mehr Eindruck gemacht als irgendetwas Neues seit Langem . . . Jedenfalls war ich ganz außerordentlich gefesselt und erfüllt. Auf so bedeutende Art hat noch keiner eine Erzählung in den Krieg einmünden lassen.«

Doch nicht nur literarisch hatte Hesse alle Brücken zu einer Vergangenheit abgebrochen, »in der man kein feiner Kerl sein konnte, ohne Neurotiker zu werden!« (Brief, 1916). Was war geschehen? »Die blutsaufende Dummheit der Menschen« im Weltkrieg, die sich ankündigende Gemütskrankheit seiner Frau, der unerwartet plötzliche Tod seines Vaters und »monatelange Überarbeitung im Dienst der Kriegsgefangenenfürsorge«, wo Hesse mit 16 Mitarbeitern fast eine halbe Million deutscher Gefangener mit Lektüre versorgte, zwei Internierten-Zeitungen redigierte und später noch eine Buchreihe für die Gefangenen herausgab, das alles führte zu einem Zusammenbruch, der eine nahezu viermonatelange psychotherapeutische Behandlung notwendig machte.

Damals begann Hesse zu malen. »Wenn ich jetzt zwischen der Arbeit [für die Kriegsgefangenen] etwas Schönes haben und mich von allem Aktuellen weg in etwas fraglos Wertvolles vertiefen will, dann dichte ich nicht, sondern habe mit fast 40 Jahren noch das Zeichnen und Malen angefangen, das mir fast den gleichen Dienst tut und oft noch mehr«, teilt er 1917 in einem Brief mit, und an Ina Seidel schreibt er acht Jahre später sogar: »Es ist so, daß ich längst nicht mehr leben würde, wenn nicht in der schwersten Zeit meines Lebens die ersten Malversuche mich getröstet und gerettet hätten.«

November 1918. Der Krieg war zu Ende. Doch noch bis zum April 1919, bis die Zentrale für Kriegsgefangenenfürsorge nicht mehr angewiesen war auf Hesses hauptberufliche Mitarbeit, blieb er in Bern, im verwaisten Haus am Melchenbühlweg. Seine Frau Mia war schon seit mehr als einem halben Jahr nicht mehr bei ihm. Eine im September als Ferienreise begonnene Fahrt mit dem jüngsten Sohn hatte für sie in einer psychiatrischen Klinik geendet. Der Ausbruch und die unerträgliche Entwicklung ihrer Krankheit führten schließlich auch zur äußeren Lösung dieser seit Jahren gefährdeten Ehe, der Hesse sechs Jahre zuvor mit seinem Roman *Roßhalde* noch gerecht zu werden versucht hatte. Der Berner Haushalt mußte aufgelöst, die Kinder zu Freunden in Pflege gegeben werden.

Leichter als noch 1916 in seinem Märchen »Der schwere Weg«, das in Luzern im Anschluß an Hesses eigene Psychoanalyse mit Dr. J. B. Lang entstanden war, fiel ihm jetzt die Überwindung des inneren und äußeren »Gebirges«, der Aufbruch von Nord nach Süd, die Entkrampfung und Befreiung. Aufatmend skizziert er auf der Paßstraße über die Alpen das letzte Haus deutscher Bauart in sein Notizbuch und vermerkt daneben: »Lange werde ich kein solches Haus mehr zu sehen bekommen . . . Wohl dem Besitzenden und Seßhaften, dem Treuen, dem Tugendhaften . . . ich kann ihn beneiden. Aber ich habe mein halbes Leben daran verloren, seine Tugend

nachzuahmen. Ich wollte sein, was ich nicht war. Ich wollte
zwar ein Dichter sein, aber daneben doch auch ein Bür-
ger . . . Lange hat es gedauert, bis ich wußte, daß man nicht
beides sein kann, daß ich Nomade bin und nicht Bauer, Su-
cher und nicht Bewahrer. Lange habe ich mich vor Göttern
und Gesetzen kasteit, die doch für mich nur Götzen waren.

Die Casa Camuzzi in Montagnola,
in der Hesse im Mai 1919 eine Zweizimmerwohnung bezog
und wo auch das Piktor-Märchen entstanden ist.

Dies war mein Irrtum, meine Qual, meine Mitschuld am
Elend der Welt. Ich vermehrte Schuld und Qual der Welt, in-
dem ich mir selbst Gewalt antat.«
Kaum, daß Hesse jenseits der Alpen einen Unterschlupf gefunden hat, entlädt sich die in langen Kriegsjahren zurückge-
haltene Produktivität mit einer nie dagewesenen Vehemenz.
In rascher Folge schreibt der Befreite einige seiner besten Ar-

beiten: die Erzählung *Kinderseele*, worin er das Ungelöste auf-
zuarbeiten versuchte, das ihn seit dem plötzlichen Tod seines
Vaters quälte; unmittelbar danach die Novelle *Klein und Wa-*
gner vom ehrbaren Beamten, der sich, wie Hesse selbst, einen
Decknamen zulegte und, belastet mit einem imaginären Verbrechen – dem vierfachen Mord an seiner Frau und den eigenen drei Kindern –, aus der gewohnten Rolle ausbricht.
Gleich darauf verwandelt er sich in den Maler Klingsor,
(Klingsors letzter Sommer), und assimiliert das Lebensgefühl
der jungen expressionistischen Maler-Avantgarde der
»Brücke« und des »Blauen Reiters«, zu der er über »Louis den
Grausamen« Zugang findet, dem seit der gemeinsamen Tu-
nisreise 1914 besonders mit August Macke und Paul Klee befreundeten Maler Louis Moilliet. Zugleich versucht Hesse,
auch in Farben etwas von dem ungewöhnlich glühenden
Sommer des Jahres 1919 festzuhalten. Tag für Tag entstehen
auf Wanderungen durch die Dörfer und Kastanienwälder des
Tessin hunderte von Studienblättern mit »kleinen expressio-
nistischen Aquarellen, hell und farbig, sehr frei der Natur gegenüber, aber in den Formen genau studiert«. Die warmen
Nächte sitzt er bei offener Tür im Palazzo seines Helden
Klingsor, um »etwas erfahrener und besonnener, als ich es
mit dem Pinsel konnte, mit Worten das Lied dieses unerhör-
ten Sommers zu singen« . . . »Nicht, daß ich mich für einen
Maler hielte«, schrieb Hesse rückblickend 1925, »aber das
Malen ist wunderschön. Man hat nachher nicht wie beim
Schreiben schwarze Finger, sondern rote und blaue . . . und
wenn ich male, dann haben die Bäume Gesichter, und die

Häuser lachen oder tanzen und weinen, aber ob der Baum ein Birnbaum oder eine Kastanie ist, das kann man meistens nicht erkennen . . .« »Auch über diese Malerei«, fügt er hinzu, »ärgern sich viele meiner Freunde, darin habe ich wenig Glück – immer wenn ich etwas recht Notwendiges, Glückliches und Hübsches unternehme, werden die Leute unangenehm. Sie

Hermann Hesse beim Aquarellieren.

möchten gerne, daß man bleibt, was man war, daß man sein Gesicht nicht ändert.«

Hesse aber wird im selben Jahr 1919 sein Gesicht noch mehrmals ändern. Die einzelnen Phasen lassen sich verfolgen in seinen unter dem Titel *Blick ins Chaos* erschienenen Dostojewski-Essays und den Vorarbeiten zur indischen Legende vom Brahmanensohn *Siddhartha*, dessen Niederschrift allerdings wenig später ins Stocken gerät, als er eine Verwandlung darzustellen versucht, die er selbst noch nicht vollzogen hatte. Durch diese unvermutete Stockung wird ihm erstmals wirklich bewußt, daß auch die befreiendste Verwandlung nichts Erreichtes und Endgültiges sein kann, sondern immer wieder neu, von vorn begonnen werden muß. Was bisher, nicht zuletzt durch den Druck der äußeren Verhältnisse, in Bewegung geraten war, hatte er nun durch eigene Energie und ganz auf sich selbst gestellt fortzusetzen. Wie schwer das war, zeigt die anderthalbjährige Stockung seiner literarischen Produktion vom August 1920 bis zum März 1922, zwischen der Niederschrift der beiden Teile des *Siddhartha*, und schildern seine in diesem Zeitraum geführten Tagebücher, eine literarische Form, deren er sich nur in Zeiten kreativer Gärung bediente, um sich im Selbstgespräch über die Ursachen der Stagnation bewußt zu werden.

Im Juli 1919, kurz vor der Niederschrift der Erzählung *Klingsors letzter Sommer,* hatte Hesse die Tochter der Schriftstellerin Lisa Wenger kennengelernt. Am 24. Juli schrieb er an »Louis den Grausamen«, den befreundeten Maler Louis Moilliet: »Auch in Carona waren wir . . . das feine Mädchen Ruth lief in einem feuerroten Kleidchen herum, begleitet von einer Tante, zwei Hunden und einem leider wahnsinnigen Klavierstimmer, es war eine herrliche Menagerie.«

Was mit dem unveränderbaren und daher alternden Baum Piktor beim plötzlichen Anblick des Mädchens geschieht, das ist in *Klingsors letzter Sommer* so geschildert, wie Hesse selbst es erlebt hatte. In allen Einzelheiten ist dort unter der Über-

schrift »Kareno-Tag« sein erster folgenreicher Besuch bei
Ruth Wenger im »Papageienhaus« von Carona festgehalten.
Dabei sind die Entsprechungen zu den im Piktor-Märchen
verwandten Symbolen verblüffend. So ruft der Maler
Klingsor bereits auf dem Weg in das Tessiner Bergdorf
ahnungsvoll seinen Wandergefährten zu:

Das »Papageienhaus« in Carona.

»Ein Vogel singt heut, der ist ein Märchenvogel, ich hab ihn
schon am Morgen gehört. Ein Wind geht heut . . . der weckt
die schlafenden Prinzessinnen auf und schüttelt den Verstand
aus den Köpfen. Heut blüht eine Blume, die ist eine Mär-
chenblume, die ist blau und blüht nur einmal im Leben, und
wer sie pflückt, der hat die Seligkeit.« Und als er bald darauf
Ruth, der »schlafenden Prinzessin«, begegnet, wird ihm bewußt: »Immer war es so: das Erlebnis kam nie allein, immer
flogen ihm Vögel voraus, immer gingen ihm Boten und Vor-

zeichen voran.« Mit Ruth hatte Hesse-Klingsor-Piktor die entscheidende Möglichkeit zur Befreiung gefunden. Doch werden auch dann noch im Leben Hesses fast drei Jahre verstreichen müssen bis zur unbegrenzten Verwandlungsfähigkeit, wie sie sein Piktor schließlich erreichte.

Erst ein Jahr nach jener ersten Begegnung haben sich Hesse und Ruth Wenger näher kennengelernt, zu einem Zeitpunkt, als das begonnene *Siddhartha*-Manuskript nach einem mißglückten Kapitel abgebrochen worden war und er in sein Tagebuch notiert hatte: »In meiner indischen Dichtung war es glänzend gegangen, solange ich dichtete, was ich erlebt hatte:

Hermann Hesse mit Ruth Wenger, um 1920.

81

die Stimmung des jungen Brahmanen, der sich plagt und kasteit. Als ich mit Siddhartha dem Dulder und Asketen zu Ende war und Siddhartha den Sieger, den Jasager und Bezwinger dichten wollte, da ging es nicht mehr.«

Gemeinsam mit Ruth wird Hesse nun all das erleben, was ihn zuvor als Versäumnis belastet oder als Hemmung gelähmt hatte. Dies war vermutlich auch der Gegenstand seiner psychotherapeutischen Gespräche mit C. G. Jung, den er in der ersten Hälfte des Jahres 1921 mehrfach aufgesucht und worüber er in Briefen berichtet hatte: »Für mich ist inzwischen die Analyse ein Feuer geworden, durch das ich nun gehen muß, und das sehr weh tut . . . es ergeben sich Pflichten und Opfer für mich, deren Verwirklichung ich mir noch kaum denken kann . . .«; »ich kann nur sagen, daß Dr. Jung meine Analyse mit außerordentlicher Sicherheit, ja Genialität führt.«

Im März 1922 schließlich ist es soweit. Innerhalb weniger Wochen kann Hesse das abgebrochene *Siddhartha*-Manuskript vollenden. Stagnation und Unproduktivität sind überwunden, denn jetzt hatte er erlebt, was er zwei Jahre zuvor, ohne es wirklich erfahren zu haben, vergeblich dazustellen versuchte. Verwandelt, wie er sich fühlte, schrieb er seiner Freundin als Bilanz und zugleich als Dank für ihr erstes gemeinsames Jahr das Liebesmärchen *Piktors Verwandlungen*. »Ich werde wieder malen«, sagte bereits Klingsor. »Aber nicht mehr diese Häuser und Leute und Bäume. Ich male Krokodile und Seesterne, Drachen und Purpurschlangen und alles im Werden, alles in der Wandlung, voll Sehnsucht Mensch zu

*Hesses Arbeitsraum mit »Klingsors Balkon«
in der Casa Camuzzi, gemalt von Max Purrmann,
der seit 1943 in der Casa sein Atelier hatte.*

werden, voll Sehnsucht Stern zu werden, voll Geburt, voll
Verwesung, voll Gott und Tod.«

Von den zahlreichen späteren Abschriften und illustrativen
Versionen Hesses ist die hier vorgelegte, für Ruth Wenger
angefertigte Handschrift, sicher die reizvollste. Die erste freilich ist sie nicht. Bevor er sie an Ostern 1923 seiner Freundin
und späteren Frau überreichte, hatte Hesse sich bereits an et-
lichen Fassungen geübt, die er seinen nächsten Freunden
schenkte oder zum Kauf anbot. Die Urschrift vermutlich
sandte er an Romain Rolland, der Hesses *Siddhartha*-Proble-
matik am genauesten erkannt hatte, denn nach der Lektüre

des vorabgedruckten ersten Teils (der bekanntlich Romain Rolland gewidmet war) schrieb er ihm: »Siddhartha bricht an der wichtigsten Stelle ab, dort, wo Sie Ihre eigenen Gedanken darlegen müssen. Ich erwarte die Fortsetzung mit lebhaftem Interesse.« Das Piktor-Manuskript sandte ihm Hesse als Antwort auf einen Brief vom 18. 9. 1922, der mit den Sätzen begann: »Ich bin entzückt über Ihr Album mit Aquarellen*. Sie sind saftig wie Früchte und anmutig wie Blumen. Es lacht einem das Herz dabei.« Aufschlußreich ist Hesses Entgegnung an Rolland, die er dem Märchen beilegte: »Da Ihr lieber Brief mir zeigt, daß Sie an diesen Dingen Freude finden, möchte ich Ihnen hier etwas zeigen . . . ein neues Märchen, wobei Text und Bilder nicht zu trennen sind . . . Sie sehen aus diesem Ding noch besser als aus jener Mappe, was meine Malversuche meinen, und wie Malerei und Poesie für mich zusammenhängt.«

Inzwischen steuerte die seit Kriegsende unaufhaltsam wachsende Inflation ihrem Höhepunkt entgegen. Schon 1920 hatte sein Verleger S. Fischer Hesse vorgeschlagen, sich der Valuta wegen in Italien oder Deutschland niederzulassen. Denn, wenn auch seine Bücher bereits damals in 25 Sprachen übersetzt waren, so lebte Hesse doch nach seinen eigenen Worten »seit 1919 wie ein Bettler«. Damals, als obendrein die Sanatoriumsaufenthalte seiner Frau und der Unterhalt seiner drei,

* H. H., »Elf Aquarelle aus dem Tessin«, Bildermappe, Verlag O. C. Recht, München, 1921.

außer Haus in Pflege gegebenen Söhne bestritten werden mußte, hätte er ohne die Unterstützung seines Freundes und Mäzens Georg Reinhart kaum existieren können.

In dieser nicht nur materiell so hoffnungslosen Lage war es, daß Hesse sich »wie Harz aus einem alten Stamme tropft und wie Pflanzen, die kurz vor dem Vertrocknen rasch noch versuchen, ihren Samen zu bilden«, neben der Schriftstellerei auch die Malerei erschlossen hatte. Und damals war es auch, daß er damit begann – zunächst nur, um weiterhin die Kriegsgefangenen unterstützen zu können –, eigenhändig illustrierte Gedichthandschriften zum Kauf anzubieten, die ihm freilich schon wenig später helfen mußten, seinen eigenen Lebensunterhalt zu bestreiten, wie aus einem Brief vom Februar 1920 hervorgeht: »Jetzt, wo die Geldverhältnisse mich als Dichter fast brotlos gemacht haben, beginne ich von der Malerei zu leben, jedenfalls hilft sie mir sehr dazu. Aquarelle habe ich zwar erst zwei verkauft, aber im Lauf der Zeit mehrere illustrierte Gedichtmanuskripte.«

Als einzige Prosa-Handschrift, die er Freunden seiner Bücher, Liebhabern und Sammlern zum Kauf anbot, kam nun, Ende 1922, das Piktor-Märchen hinzu. Beide Bildermanuskripte, die *Zwölf Gedichte* und *Piktors Verwandlungen,* bot Hesse auf einem eigens zu diesem Zweck angefertigten Prospekt an. Auch später, als er zum eigenen Lebensunterhalt nicht mehr auf solche Einnahmen angewiesen war, hat er diese beiden Handschriften immer wieder gern angefertigt, um mit den Einkünften bedürftige Kollegen unterstützen bzw. überall dort behilflich sein zu können, wo es ihm sinn-

Zwölf Gedichte

von

Hermann Hesse

Vom Dichter illustriert

Dreizehn Doppelblatt auf Bütten
mit je einem farbigen Bild

Es handelt sich nicht um Reproduktionen, sondern jedes
Exemplar ist ganz von der Hand des Dichters hergestellt.
Jedes Exemplar ist von jedem andern sowohl in den
Bildern wie im Text stark verschieden, existiert also nur
einmal. Der Preis eines Exemplars (13 Blatt
mit 13 Bildchen) mit handgeschriebenem Text
beträgt zweihundert Mark.

*

Piktors
Verwandlungen

Ein Märchen von Hermann Hesse

Mit vielen farbigen Bildchen
von der Hand des Dichters

Dies bisher noch nicht veröffentlichte Liebesmärchen ist
aus den Bildern heraus entstanden, welche daher notwendig dazu gehören. — Jedes Exemplar ist ganz von der
Hand des Dichters hergestellt, Schrift sowohl wie Bilder.
Bei den Bildern bringt jedes neue Exemplar neue Varianten.
Der Preis eines Exemplars, ganz von Hand geschrieben,
beträgt zweihundert Mark.

*

Bestellungen nur direkt an Hermann Hesse,
Montagnola, Schweiz

Prospekt von Hesses Bildmanuskripten.

voll und notwendig erschien. Wie wenig allerdings diese Einkünfte ausreichten zur Linderung der Not, mit welcher Hesse in Hunderten von Briefen fast täglich unmittelbar konfrontiert wurde, zeigt u. a. ein gereizter Brief vom April 1929: »Von all den Tausenden, die sich vier- bis fünfmal im Jahr einen feinen Anzug schneidern lassen und sich mit Fachmännern lang über die Neulackierung ihres Autos beraten, ist kaum ein halbes Dutzend wirklich so reich, daß sie auf die Idee kommen, . . . bei einem Dichter eigenhändige Gedichthandschriften zu bestellen. Zur Zeit der Perserkönige und der großen indischen Mogule haben reiche und mächtige Leute überhaupt nichts anderes getan, als die Handschriften malender Dichter gesammelt. Die Reichen von heute sind entartet, selten kommt einer auf irgendeine nette und freundliche Idee, die meisten kommen überhaupt nie auf Ideen.«

Von der letzten und konkretesten »Verwandlung« seines Piktor und der Gedichthandschriften ist auf einem Notizblatt aus dem Jahre 1949 die Rede: »Einige Male im Jahr aber kommt eine Art von Brief, an der ich besondere Freude habe und deren Erwiderung ich die größte Liebe zuwende. Einige Male im Jahr kommt es vor, daß jemand bei mir anfragt, ob noch eines von den mit Bildchen geschmückten Manuskripten zu haben sei, die ich den Liebhabern zur Verfügung halte und deren Ertrag mir einen Teil der Ausgaben für alle die Pakete und Unterstützungen in die Länder des Elends und Hungers decken müßte . . . Noch immer macht es mir Spaß, eine Handvoll weißer Blätter in eine Bilderhandschrift zu verwandeln und zu wissen, daß die Handschrift sich weiter verwandeln wird, in Geld zunächst, dann aber in Pakete mit Kaffee, mit Reis, mit Zucker und Öl und Schokolade. . . . ich mache mir kein Gewissen daraus, daß diesen kleinen Malereien ein künstlerischer Wert nicht innewohnt. Als ich einst die allerersten dieser Heftchen und Mäppchen machte, waren sie noch viel unbeholfener und kunstloser als heute, es war während des ersten Weltkrieges, und ich machte sie auf den Rat eines Freundes, damals zugunsten der Kriegsgefangenen, es ist lange her, und später kamen Jahre, in denen ich über einen Auftrag froh war, weil ich selber es nötig hatte. Heute nun sind es nicht mehr, wie vor Jahrzehnten, Bibliotheken für Kriegsgefangene, in die ich meine Handarbeiten verwandle. Die Leute, in deren Dienst ich heute meine kleinen Handarbeiten herstelle, sind nicht anonyme Unbekannte, ich gebe die Erträge meiner Arbeit auch nicht einem Roten Kreuz oder dieser oder jener Organisation, ich bin mit den Jahren und Jahrzehnten immer mehr ein Liebhaber des Individuellen und Differenzierten geworden, entgegen allen Tendenzen unserer Zeit.«

Als S. Fischer 1922 die illustrierte Handschrift des neuen Piktor-Märchens als Weihnachtsgeschenk erhielt, schien er gleich an eine Buchausgabe gedacht zu haben, denn seine spontane Antwort lautete: »Dank auch für die schöne Weihnachtsgabe, für das köstliche Märchen von *Piktors Verwandlungen*, das farbig heitere Spiel, aus Siddharthas Weisheit geschöpft. Vielleicht sollten wir das kleine Büchlein drucken lassen.« Doch Hesse winkte ab. Nicht nur, um es als bibliophile Rarität anbieten zu können, sondern wohl vor allem seines privaten Ursprungs wegen und weil zudem die Reproduktion gerade das Wandelbare und jeder Veränderung Aufgeschlossene, kurz, das eigentliche Element Piktors um eine Dimension beschnitten hätte. Noch war Hesse ja jung genug, sein Märchen in immer neuen Varianten zu gestalten und illustrativ verändern zu können. Erst im hohen Alter hat er es dann zur Reproduktion freigegeben. Interessant in diesem Zusammenhang ist auch die Art, wie er einen limitierten Sonderdruck, der 1925 von der Gesellschaft für Bücherfreunde in Chemnitz in 650 Exemplaren hergestellt wurde, ausstatten ließ. Der Text wurde jeweils nur auf die linken Seiten gedruckt, alle rechten Seiten des Heftchens wurden frei gelassen, damit Hesse sie individuell und eigenhändig illustrieren konnte. (Wie viele dieser Sonderdrucke er dann tatsächlich bebildert hat, ist bisher noch nicht mit Sicherheit feststellbar.) Auch dieses Beispiel zeigt, welchen Wert Hesse hier auf die Präsentation gelegt hat. Denn in *Piktors Verwandlungen* geht die Aussage auf höchst ungewöhnliche Weise in die Form über, weil erst die Spannung zwischen Bild und Wort ein Ganzes ergibt und somit auch äußerlich das Erlebnis von der Bipolarität der Einheit wiederholt. Immer wieder hat Hesse auch darauf hingewiesen, daß dieses Märchen ganz aus den Bildern entstanden sei, die daher notwendig dazugehörten, und daß für ihn zwischen seiner Malerei und Dichtung keine Diskrepanz herrsche, weil er weder im einen noch im anderen der naturalistischen, sondern einzig der poetischen Wahrheit nachgehe.

Die Ausnahmestellung, die der Piktor innerhalb der Schriften Hesses einnimmt, schloß von vornherein eine Publikation zusammen mit anderen, nichtillustrierten Märchen aus. Auch als Einzelpublikation bot es sich seines geringen Umfanges wegen nicht geradezu an. Einzig der Beharrlichkeit Peter Suhrkamps war es zu danken, daß schließlich im Jahre 1954 eine der späteren Fassungen einer breiteren Leserschaft zugänglich wurde – aber selbst dann noch nicht in Buchform, sondern als kostbare Faksimile-Ausgabe in Originalformat und Schuber.

Heute nun wagen wir es, in dieser preiswerten Insel-Ausgabe, die eine besonders sorgfältige Ausstattung zuläßt, in Taschenbuchformat diese frühe und wichtigste Fassung des Piktor-Märchens zum ersten Mal vorzulegen. Die wichtigste ist sie allein schon deshalb, weil sie Ruth Wenger, dem »Mädchen im Paradies«, gehört. – Erst vor zwei Jahren hat Hesses Sohn Heiner das Manuskript in Carona entdeckt, in ebenjenem »Papageienhaus«, und sofort regte sich der Wunsch, dieses besonders farbenfrohe und geglückte Exemplar allen interessierten Lesern zugänglich zu machen. Doch war es nicht ganz einfach, dem Buchformat und dem dazu erforderlichen Mindestumfang gerecht zu werden. Das Naheliegendste wäre gewesen, die Handschrift mit einem anderen Hesse-Märchen zu verbinden, etwa mit dem zehn Jahre später entstandenen *Vogel*, worin der Autor uns in der Gestalt eines legendären Vogels allerlei gehaltvolle Nüsse zu knacken gibt. (Hesse selbst wurde von seiner Frau Ninon gern »Vogel« genannt und unterzeichnete in einem für sie bestimmten Exemplar des bereits erwähnten *Papageienbuches* zum Beispiel auch seine Widmung auf der ersten Seite mit »Vogel«.)

Nach mehreren Probekonzeptionen erwies sich die vorliegende Zusammenstellung als die glücklichste. Denn die poetisch-musikalische Bilderwelt unseres Märchens fügte sich besonders gut in die schwerelos-rhythmische Ausgewogenheit der Gedichte Hermann Hesses, von denen jedes hier ausgewählte irgendeinen Aspekt des Piktor-Themas aufgreift und variiert: die Bedeutung der Farben, die Vergänglichkeit des Glücks, die Veränderbarkeit und Wandlungsbereitschaft und nicht zuletzt die Bipolarität.

Auf Schritt und Tritt sind wir heute umgeben von den Auswirkungen einer Haltung, die um der Effektivität und Spezialisierung willen ein Interesse daran hat, Zusammenhängendes zu zersplittern, die über der Analyse die Synthese versäumt und sich in feindliche Ideologien polarisiert, statt ein vergleichbar erfinderisches Interesse für die Gemeinsamkeiten zu entwickeln. Hier hat das noch Unzerstörte, ebenso wie alle Kunst, die inmitten der Zersplitterung das Verbindende darstellt und wieder erkennbar macht, eine korrigierende Funktion. Diese Korrektur ist um so wirkungsvoller, je weniger sie korrigieren will, sondern durch Bild und Beispiel, durch Phantasie und Einfühlungsvermögen überzeugt. Phantasie und Einfühlungsvermögen aber hat Hesse einmal als Formen der Liebe bezeichnet. Das Liebesmärchen von *Piktors Verwandlungen* ist daher wie alle wirklichen Märchen nichts Irreales, denn seine Magie und Mythologie täuschen weder

Willkürliches noch Erfundenes vor, sondern versinnbild-
lichen nichts als psychologische Gesetzmäßigkeiten.

Frankfurt am Main, April 1975

Volker Michels

Erzählungen von Hermann Hesse
in den suhrkamp taschenbüchern

15/1/3.88

Kulturgeschichte
im insel taschenbuch